chocolat

D1425271

Laurence DALON

Dormonval

CH – LUCERNE

› Photographies : SAEP/Frédéric PERRIN.

› Graphisme : Valérie RENAUD.

› Coordination : SAEP/Éric ZIPPER.

› Composition et photogravure : SAEP/Arts Graphiques.

› Impression : Union Européenne.

Conception › saep création - 68040 Ingersheim - Colmar

Le chocolat sous toutes ses textures !
Onctueux, mousseux, moelleux, croquant, fondant ou glacé, telles sont les différentes facettes du chocolat que je vous propose dans ce livre.

› Beaucoup de recettes simples, pour se faire plaisir en un tour de main car les envies de chocolat peuvent être subites et très fortes... Brownies, cookies, coulants au chocolat se préparent rapidement pour un plaisir intense et immédiat.

› Des mousses aériennes vite prêtes quand on possède un siphon. On assemble les ingrédients et l'on concocte des mousses légères et aériennes que l'on peut superposer dans des verrines ou associer à des textures plus croquantes comme des biscuits, des crêpes dentelle ou des meringues.

› Plus longues mais qui valent le détour, des recettes de grands classiques revisités... ou pas : opéra, gâteau tout chocolat, macarons, millefeuilles.

› Des recettes enfin un peu plus techniques mais tout à fait réalisables comme le tempérage du chocolat. À l'heure du « tout faire soi-même », laissez-vous tenter et créez vos tablettes de chocolat. Suivez les consignes, respectez les paliers de température et, avec un peu d'expérience, vous arriverez rapidement à repérer la texture parfaite pour dresser vos confiseries. Vous rivaliserez ainsi avec les chocolatiers en laissant libre cours à votre créativité et à vos envies du moment.

LES CHOCOLATS

› La fabrication du chocolat
Le chocolat est issu des fruits du cacaoyer, la cabosse. On extrait les fèves des cabosses, qui sont mises en fermentation, séchées, torréfiées, puis concassées. Les grains de cacao sont ensuite broyés pour obtenir la pâte de cacao. Une partie est utilisée pour la fabrication du chocolat, l'autre partie sera pressée pour en récupérer le beurre de cacao. Le chocolat est fabriqué à partir de ces deux ingrédients.

› Les types de chocolats
› Le chocolat noir est composé de pâte de cacao, de beurre de cacao et de sucre.

› Le chocolat au lait est composé des mêmes éléments ainsi que de lait.

› Le chocolat blanc n'est composé que de beurre de cacao, de sucre et de lait.

LES BONS GESTES

› Faire fondre le chocolat
› Personnellement, je n'aime pas faire fondre le chocolat directement au four à micro-ondes car il risque de brûler. Une odeur désagréable s'en dégage et le rend inutilisable. Je préfère faire bouillir une petite quantité de crème au four à micro-ondes et ajouter ensuite le chocolat. Je laisse reposer pendant 5 minutes puis je mixe avec le mixeur plongeant.

› Pour d'autres préparations qui ne nécessitent pas de crème, je préfère la bonne vieille méthode du bain-marie. J'utilise dans ce cas-là un cul-de-poule en inox qui facilite les échanges de chaleur. Je place le récipient vide sur une casserole d'eau froide et je porte à ébullition. Quand l'eau bout, je retire la casserole de la source de chaleur, j'ajoute le chocolat coupé en morceaux. Je laisse reposer pendant 5 minutes à couvert puis je mélange vigoureusement. Avec ces deux méthodes, pas de risque de brûler le chocolat !

› Le tempérage du chocolat

› Le chocolat de couverture

Il existe des chocolats de couverture noir, au lait et blanc. Le chocolat de couverture est composé d'une proportion plus importante de beurre de cacao. Cette quantité de beurre de cacao permet une consistance suffisamment liquide du chocolat permettant le trempage des confiseries.

› La technique du tempérage

En passant de l'état liquide à l'état solide, le chocolat forme des cristaux. C'est la cristallisation. Le beurre de cacao, en se solidifiant, devient une sorte de ciment pour les cristaux de sucre et de poudre de cacao. Cette cristallisation peut se faire de plusieurs façons. Si elle est mal effectuée, le chocolat une fois refroidi prend une apparence terne et blanchâtre. Si l'on effectue des moulages, le chocolat ne se rétractera pas et sera impossible à démouler. Pour que la cristallisation du chocolat s'opère correctement, il est nécessaire de respecter des paliers de température.

Type de chocolat	Fondre à :	Baisser à :	Remonter à :
Chocolat noir :	50/55 °C	28 °C	30/31 °C
Chocolat au lait :	45/50 °C	27 °C	29/30 °C
Chocolat blanc :	45/50 °C	26 °C	28/29 °C

› Le matériel

Pour mesurer les températures, il faut s'équiper d'un thermomètre précis qui est en permanence plongé dans la préparation.

Je conseille d'utiliser des contenants en inox pour que les échanges de chaleur s'opèrent rapidement.

Pour réaliser des moulages en chocolat, il faut s'équiper de moules. Les moules à tablettes me paraissent idéaux pour s'initier à l'art des chocolatiers car le travail est moins fastidieux. Je conseille de les choisir suffisamment profonds afin de pouvoir réaliser des tablettes fourrées.

› Mes p'tits trucs

› Pour casser une tablette de chocolat, je la jette emballée plusieurs fois de suite par terre.

› Pour réaliser des chocolats si l'on ne maîtrise pas la technique du tempérage (ou si l'on est pressé), on peut enrober des confiseries et les rouler immédiatement dans du cacao en poudre. Le chocolat n'aura pas l'aspect terne.

nage chocolatée aux framboises et crémeux de brebis

300 g de framboises congelées / 100 g de sucre en poudre / 200 g de chocolat noir / 10 cl de crème fraîche liquide / 10 cl de lait / 100 g de brebis frais / 100 g de crème épaisse / Quelques copeaux de chocolat noir pour la décoration.

• • • ❯ ❯ ❯ 6 PERS. – PRÉP. : 10 MIN – CUISS. : 5 MIN
REPOS : 1 H 05 MIN

1 › Placer les framboises et 75 g de sucre pendant 3 minutes au four à micro-ondes. Égoutter en conservant le jus pour une autre utilisation.

2 › Casser le chocolat en morceaux. Porter la crème liquide à ébullition et ajouter au chocolat. Laisser reposer pendant 5 minutes puis mixer.

3 › Ajouter le lait et mélanger jusqu'à ce que la préparation ait un aspect lisse. Laisser refroidir pendant 1 heure.

4 › Mélanger le brebis, la crème épaisse et le reste de sucre.

5 › Dresser les framboises dans des assiettes creuses. Recouvrir de soupe au chocolat. Dresser une quenelle de crémeux de brebis. Décorer avec quelques copeaux de chocolat et servir.

charlotte menthe-chocolat

20 cl de crème fraîche liquide / 1 sachet de thé à la menthe / 200 g de chocolat noir / 2 œufs / 50 g de biscuits à la cuiller / Feuilles de menthe pour la décoration.

● ● ● ❯❯❯ 6 PERS. – PRÉP. : 10 MIN – CUISS. : 5 MIN
REPOS : 2 H 10 MIN

1 › Faire bouillir la crème fraîche liquide puis laisser infuser le sachet de thé à la menthe pendant 5 minutes. Retirer le sachet et chauffer à nouveau. Ajouter le chocolat coupé en morceaux et laisser reposer pendant 5 minutes. Mixer puis ajouter les œufs. Mixer à nouveau et placer au frais pendant 2 heures.

2 › Lorsque la mousse a refroidi, fouetter jusqu'à ce que le mélange éclaircisse.

3 › Retailler les biscuits à la cuiller en bâtonnets en les adaptant à la taille de la verrine. Tapisser le fond et les côtés de la verrine de biscuits. Verser la mousse au chocolat au milieu. Décorer avec 1 feuille de menthe.

petites crèmes onctueuses au chocolat

4 jaunes d'œufs / 50 g de sucre en poudre / 20 cl de crème fraîche liquide / 20 cl de lait / 100 g de chocolat noir.

● ● ● ❯❯❯ 6 PERS. – PRÉP. : 10 MIN – CUISS. : 5 MIN
REPOS : 2 H 05 MIN

1 › Battre les jaunes d'œufs avec le sucre jusqu'à blanchiment. Ajouter la crème et le lait bouillants.

2 › Verser dans une casserole et chauffer tout en remuant. Lorsque la crème nappe la cuillère, retirer du feu et ajouter le chocolat coupé en morceaux. Laisser reposer pendant 5 minutes.

3 › Mixer et verser dans de petites verrines ou des pots. Placer au réfrigérateur pendant 2 heures et servir frais.

riz basmati au chocolat blanc, écrasée de fraises

100 g de riz basmati / 25 cl de lait / 1 cuil. à soupe de sucre en poudre / 50 g de chocolat blanc / 150 g de fraises / 3 rondelles de banane / Copeaux de chocolat blanc pour la décoration.

● ● ● ❭ ❭ ❭   4 PERS. – PRÉP. : 10 MIN – CUISS. : 15 MIN
REPOS : 5 MIN

1 › Placer le riz, le lait et 75 g de sucre dans une casserole. Porter à ébullition et cuire pendant 15 minutes à couvert et à feu doux. Ajouter du lait si nécessaire en cours de cuisson : le riz au lait ne doit pas attacher.

2 › Hors du feu, enfoncer les carrés de chocolat dans le riz chaud. Attendre 5 minutes puis mélanger vigoureusement. Laisser tiédir.

3 › Laver et équeuter les fraises. Ajouter le reste de sucre et les rondelles de banane. Écraser à la fourchette.

4 › Remplir aux trois quarts les verrines avec le riz au lait tiède. Ajouter une couche de fraises écrasées et décorer avec des copeaux de chocolat blanc.

riz au lait au chocolat au lait

30 cl de lait / 75 g de sucre en poudre / 100 g de riz rond / 100 g de chocolat au lait / 1 cuil. à soupe de chocolat en poudre pour la décoration.

● ● ● ❭ ❭ ❭   4 PERS. – PRÉP. : 10 MIN – CUISS. : 30 MIN

1 › Placer le lait et le sucre dans une casserole. Porter à ébullition puis ajouter le riz. Couvrir et laisser cuire pendant 30 minutes à feu doux en remuant de temps en temps pour que le riz n'attache pas. Ajouter du lait si nécessaire : le riz ne doit pas attacher.

2 › Lorsque le riz est cuit, enfoncer les carrés de chocolat et laisser fondre pendant quelques minutes. Bien mélanger et servir tiède dans des verrines. Parsemer avec du chocolat en poudre passé dans une petite passoire.

riz basmati au chocolat blanc,
écrasée de fraises p. 11

verrine chocolat-café

**10 cl de crème fraîche liquide / 1 cuil. à soupe de café soluble /
200 g de chocolat blanc / 1 tasse de café fort / 5 cl d'amaretto /
3 cuil. à soupe de liqueur de café / 50 g de biscuits à la cuiller /
Poudre de cacao pour le décor.**

● ● ● ❭ ❭ ❭ 6 PERS. – PRÉP. : 10 MIN – CUISS. : 5 MIN
REPOS : 1 H 05 MIN

1 › Faire chauffer la crème au four à micro-ondes. Ajouter le café soluble
et le chocolat coupé en morceaux. Laisser reposer pendant 5 minutes.
Mélanger puis placer au frais pendant 1 heure.

2 › Fouetter le mélange jusqu'à ce qu'il double de volume.

3 › Mélanger la tasse de café fort, l'amaretto et la liqueur de café. Tremper
rapidement les biscuits à la cuiller dans ce mélange et disposer au fond
de verrines. Recouvrir avec la ganache au café et parsemer de cacao en
poudre.

verrine chocolat-pistache-griotte

**150 g de griottes congelées / 2 cuil. à soupe de sucre en
poudre / 100 g de palets bretons / 10 cl de crème fraîche
liquide / 200 g de chocolat blanc / 1 cuil. à soupe de pâte de
pistache / Pistaches concassées pour la décoration.**

● ● ● ❭ ❭ ❭ 6 PERS. – PRÉP. : 10 MIN – CUISS. : 5 MIN
REPOS : 3 H

1 › Mélanger les griottes congelées et le sucre en poudre. Garder quelques griottes pour la décoration.

2 › Émietter les palets bretons au fond des verrines. Recouvrir avec le
mélange griottes-sucre. Laisser décongeler pendant 1 heure.

3 › Pendant ce temps, préparer la ganache au chocolat blanc : faire bouillir la crème fraîche liquide. Ajouter le chocolat coupé en morceaux.
Laisser reposer pendant 5 minutes puis mélanger. Ajouter la pâte de pistache et mélanger à nouveau. Placer au frais pendant 1 heure.

4 › Fouetter la ganache puis dresser sur les griottes et les sablés.

5 › Placer au frais pendant 1 heure puis décorer juste avant de servir avec
1 griotte et des pistaches grossièrement concassées.

verrine marrons-chocolat-liqueur de whisky

1 tasse de café expresso / 5 cl de liqueur de whisky / 50 g de biscuits à la cuiller / 20 cl de crème fraîche liquide / 2 cuil. à soupe de sucre en poudre / 75 g de pâte de marrons / 75 g de purée de marrons / 10 g de brisures de marrons glacés / 100 g de chocolat au lait / 2 meringues / 1 cuil. à soupe de café soluble.

● ● ● ❯ ❯ ❯ 6 PERS. – PRÉP. : 10 MIN – REPOS : 5 MIN

1 › Mélanger le café expresso et la liqueur de whisky. Tremper rapidement les biscuits à la cuiller dans ce liquide et tapisser le fond des verrines.

2 › Mélanger 10 cl de crème fraîche liquide avec le sucre. Monter en chantilly.

3 › Mélanger la pâte de marrons, la purée de marrons et travailler pour assouplir le mélange. Ajouter la moitié de la chantilly et travailler vigoureusement. Ajouter le reste délicatement en soulevant la préparation. Ajouter les brisures de marrons glacés, en garder quelques-unes pour la décoration.

4 › Faire bouillir le reste de crème. Ajouter le chocolat coupé en morceaux. Laisser reposer pendant 5 minutes. Mélanger vigoureusement.

5 › Recouvrir les biscuits imbibés de café de mousse aux marrons. Émietter les meringues et napper de chocolat. Décorer avec le reste de brisures de marrons glacés.

le dessert « tout Nutella » de Louis

200 g de Nutella / 150 g de crème fraîche liquide / 150 g de lait / 50 g de crêpes dentelle.

● ● ● ❯❯❯ 6 PERS. – PRÉP. : 5 MIN – CUISS. : 5 MIN
REPOS : 2 H

1 › Placer 150 g de Nutella dans un récipient et verser la crème bouillante.

2 › Mixer puis ajouter le lait. Verser dans un siphon en filtrant et fermer. Insérer 1 cartouche de gaz et bien secouer. Placer au frais pendant 2 heures.

3 › Pendant ce temps, mélanger le reste de Nutella avec les crêpes dentelle et répartir au fond de verrines. Ajouter la mousse de Nutella et servir de suite.

 Note : Louis est un petit camarade de ma fille, fan de Nutella... et de hard rock !

mousse bleue chocolat blanc-curaçao

100 g de crème fraîche liquide / 200 g de chocolat blanc / 200 g de lait / 5 cl de curaçao bleu / 2 gouttes d'huile essentielle d'orange d'origine biologique.

● ● ● ❯❯❯ 6 PERS. – PRÉP. : 5 MIN – CUISS. : 5 MIN
REPOS : 1 H

1 › Placer la crème dans un bol haut et chauffer au four à micro-ondes. Ajouter les morceaux de chocolat et laisser reposer pendant 5 minutes. Mixer puis ajouter le lait, le curaçao et l'huile essentielle. Mixer à nouveau et verser dans le siphon. Fermer en vérifiant que le joint est bien en place. Insérer 1 cartouche de gaz, bien secouer et placer au frais pendant 1 heure.

2 › Au moment de servir, secouer le siphon et répartir la mousse bleue dans des coupelles ou des verrines.

› le dessert « tout Nutella » de Louis

mousse au chocolat 70 % et coulis orange-gingembre

1 orange non traitée / 50 g de gingembre confit / 100 g de crème fraîche liquide / 100 g de chocolat à 70 % de cacao / 200 g de lait.

● ● ● ❱❱❱ 6 PERS. – PRÉP. : 15 MIN – CUISS. : 5 MIN
REPOS : 1 H 15 MIN

1 › Plonger l'orange dans de l'eau bouillante et maintenir l'ébullition pendant 2 minutes. Égoutter et répéter l'opération deux fois encore. Couper l'orange chaude en gros morceaux en recueillant le jus et mixer ensuite avec la moitié du gingembre confit. Couper le reste du gingembre confit (en garder un peu pour la décoration) en tout petits cubes et ajouter au coulis. Réserver.

2 › Placer la crème dans un bol haut et chauffer au four à micro-ondes. Ajouter les morceaux de chocolat et laisser reposer pendant 5 minutes. Mixer puis ajouter le lait. Mixer à nouveau et verser dans le siphon en filtrant. Fermer en vérifiant que le joint est bien en place. Insérer 1 cartouche de gaz, bien secouer et placer au frais pendant 1 heure.

3 › Au moment de servir, secouer le siphon et répartir dans des verres ou des verrines. Décorer avec le coulis orange-gingembre et du gingembre confit.

mousse au chocolat au lait-fruits de la passion

100 g de crème fraîche liquide / 50 g de sucre en poudre / 200 g de chocolat au lait / 100 g de lait / 100 g de coulis de fruits de la passion non sucré / 1 fruit de la passion.

● ● ● ❯❯❯ 6 PERS. – PRÉP. : 5 MIN – CUISS. : 5 MIN
REPOS : 1 H

1 › Placer la crème et le sucre dans un bol haut et chauffer au four à micro-ondes. Ajouter les morceaux de chocolat et laisser reposer pendant 5 minutes.

2 › Mixer puis ajouter le lait et le coulis de fruits de la passion. Mixer à nouveau et verser dans le siphon en filtrant.

3 › Fermer en vérifiant que le joint est bien en place. Insérer 1 cartouche de gaz, bien secouer et placer au frais pendant 1 heure.

4 › Au moment de servir, secouer le siphon et répartir dans des verres ou des verrines. Décorer avec la chair du fruit de la passion.

mousse aux trois chocolats

Mousse chocolat blanc : **100 g de crème fraîche liquide / 200 g de chocolat blanc / 200 g de lait.**
Mousse chocolat au lait : **100 g de crème fraîche liquide / 200 g de chocolat au lait / 200 g de lait.**
Mousse chocolat noir : **100 g de crème fraîche liquide / 100 g de chocolat à 70 % de cacao / 200 g de lait.**

● ● ● ❯❯❯ 12 PERS. – PRÉP. : 5 MIN – CUISS. : 5 MIN
REPOS : 1 H 05 MIN

1 › Préparer la mousse chocolat blanc : faire chauffer la crème fraîche liquide et ajouter le chocolat blanc coupé en morceaux. Laisser reposer pendant 5 minutes puis mixer. Ajouter le lait. Mixer à nouveau et verser dans le siphon. Fermer et insérer 1 cartouche de gaz. Bien secouer et placer au frais pendant 1 heure.

2 › Répéter l'opération pour les mousses au chocolat au lait et au chocolat noir. Placer au frais.

3 › Disposer au fond des verrines une couche de mousse au chocolat noir, puis de chocolat au lait puis de chocolat blanc. Servir de suite.

mousse chocolat blanc-noix de coco, gelée de fruits de la passion

10 cl de pulpe de fruits de la passion non sucrée / 50 g de sucre en poudre / 1 cuil. à moka d'agar-agar / 100 g de crème fraîche liquide / 200 g de chocolat blanc / 100 g de lait / 100 g de lait de coco / 2,5 cl de liqueur de noix de coco / 1 fruit de la passion.

● ● ● ❯ ❯ ❯ 6 PERS. – PRÉP. : 5 MIN – CUISS. : 5 MIN
REPOS : 1 H 05 MIN

1 › Placer la pulpe de fruits de la passion, le sucre et l'agar-agar dans une casserole. Chauffer tout en remuant et maintenir l'ébullition jusqu'à ce que tout le gélifiant soit dissous. Disposer au fond de verres et laisser gélifier. Chauffer la crème fraîche liquide et ajouter le chocolat blanc coupé en morceaux. Laisser reposer pendant 5 minutes puis mixer. Ajouter le lait, le lait de coco et la liqueur de noix de coco. Mixer à nouveau et verser dans le siphon. Fermer et insérer 1 cartouche de gaz. Bien secouer et placer au frais pendant 1 heure.

2 › Au moment de servir, répartir la mousse dans les verres et décorer avec la chair du fruit de la passion.

mousse au chocolat blanc et à la truffe blanche

100 g de crème fraîche liquide / 200 g de chocolat blanc / 200 g de lait / 1 filet d'huile d'olive de variété biancolilla / 2 gouttes d'huile de truffe blanche.

● ● ● ❯ ❯ ❯ 6 PERS. – PRÉP. : 5 MIN – CUISS. : 5 MIN
REPOS : 1 H 05 MIN

1 › Faire chauffer la crème fraîche liquide et ajouter le chocolat blanc coupé en morceaux. Laisser reposer pendant 5 minutes puis mixer. Ajouter le lait, l'huile d'olive et les gouttes d'huile de truffe. Mixer à nouveau et verser dans le siphon en filtrant. Fermer et insérer 1 cartouche de gaz. Bien secouer et placer au frais pendant 1 heure.

2 › Au moment de servir, secouer le siphon et répartir la mousse dans des verres ou des verrines.

› mousse chocolat blanc-
noix de coco,
gelée de fruits de
la passion p. 23

mousse au chocolat au lait et à la bergamote

100 g de crème fraîche liquide / 200 g de chocolat au lait / 200 g de lait / 2 gouttes d'huile essentielle à la bergamote d'origine biologique / Quelques zestes d'orange confits pour la décoration.

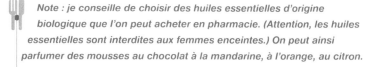

● ● ● ❯❯❯ 6 PERS. – PRÉP. : 5 MIN – CUISS. : 5 MIN
REPOS : 1 H 05 MIN

1 › Faire chauffer la crème fraîche liquide et ajouter le chocolat au lait coupé en morceaux. Laisser reposer pendant 5 minutes puis mixer. Ajouter le lait et l'huile essentielle. Mixer à nouveau et verser dans le siphon en filtrant. Fermer et insérer 1 cartouche de gaz. Bien secouer et placer au frais pendant 1 heure.

2 › Au moment de servir, secouer le siphon et répartir dans des coupes ou des verres. Décorer avec des zestes d'orange confits.

Note : je conseille de choisir des huiles essentielles d'origine biologique que l'on peut acheter en pharmacie. (Attention, les huiles essentielles sont interdites aux femmes enceintes.) On peut ainsi parfumer des mousses au chocolat à la mandarine, à l'orange, au citron.

mousses... de l'aérien

mousse au chocolat « traditionnelle »

10 cl de crème fraîche liquide / 200 g de chocolat noir / 6 œufs / 30 g de sucre en poudre / Une pincée de sel.

● ● ● 〉〉❯ 6 PERS. – PRÉP. : 10 MIN – CUISS. : 5 MIN
REPOS : 2 H 05 MIN

1 › Verser la crème dans un récipient en verre et placer au four à micro-ondes. Lorsque la crème est bouillante, ajouter les morceaux de chocolat. Laisser reposer pendant 5 minutes.

2 › Pendant ce temps, séparer les blancs des jaunes. Ajouter les jaunes d'œufs au mélange au chocolat et mixer.

3 › Battre les blancs en neige avec une pincée de sel. Lorsque les blancs sont fermes, ajouter le sucre en trois fois : les blancs deviennent fermes et brillants. Incorporer un tiers des blancs au mélange au chocolat. Bien mélanger, puis ajouter le reste des blancs délicatement en soulevant la préparation. Placer au frais pendant 2 heures.

Une recette pour celles et ceux qui ne possèdent pas de siphon. On peut aromatiser cette mousse avec des huiles essentielles (mandarine, bergamote, menthe) ou avec des alcools (liqueur de menthe, de café, de whisky).

les brownies de Marie-Claude

300 g de chocolat noir / 160 g de beurre / 150 g de vergeoise / 1 cuil. à café de vanille liquide / 60 g de farine / 5 œufs / 150 g d'un mélange de noix, noisettes, amandes / Sel.

● ● ● ❯ ❯ ❯ 6 PERS. – PRÉP. : 10 MIN – CUISS. : 45 MIN

1 › Casser le chocolat en morceaux. Faire fondre le chocolat et le beurre au bain-marie.

2 › Ajouter la vergeoise, la vanille liquide, la farine, une pincée de sel. Bien mélanger.

3 › Ajouter les œufs un à un en travaillant la pâte le moins possible.

4 › Ajouter le mélange de noix, noisettes, amandes grossièrement concassées.

5 › Beurrer un moule rectangulaire. Verser la préparation sur 2 ou 3 cm. Enfourner à 150 °C (th. 5) pendant 40 minutes.

6 › À la sortie du four, couper en carrés de 2 cm de côté.

7 › Stocker dans une boîte métallique.

Note : des restes de brownies peuvent être utilisés en verrine associés à une mousse ou une ganache au café.

bûche macaron-praliné-chocolat

Macaron : 4 blancs d'œufs / 25 g de sucre en poudre / 120 g de sucre glace / 100 g d'amandes en poudre / Une pincée de sel.
Sirop au rhum : 50 g de sucre en poudre / 2 cuil. à soupe de rhum ambré.
Mélange praliné : 2,5 cl de crème fraîche liquide / 50 g de chocolat au lait / 100 g de praliné noisette / 40 g de crêpes dentelle.
Mousse au chocolat : 200 g de crème fraîche liquide / 150 g de chocolat noir / 2 œufs.
Cacao en poudre et truffes au chocolat.

● ● ● ❭ ❭ ❭   6 PERS. – PRÉP. : 30 MIN – CUISS. : 1 H
REPOS : 3 H 10 MIN

1 › Fouetter les blancs d'œufs en neige avec une pincée de sel. Lorsqu'ils sont fermes, ajouter en trois fois le sucre en poudre. Verser en pluie le mélange sucre glace-amandes. Mélanger délicatement en soulevant la préparation. Étaler sur une plaque recouverte de papier cuisson et placer au four à 150 °C (th. 5) pendant 35 à 40 minutes. Lorsque le macaron est cuit, tailler un rectangle correspondant à la base du moule à bûche. Placer le reste dans le moule à bûche tapissé de film étirable. Il faut effectuer cette opération rapidement tant que le macaron est chaud pour qu'il ne casse pas. Égaliser les bords.

2 › Préparer le sirop en mélangeant le sucre et 5 cl d'eau. Porter à ébullition, laisser refroidir puis ajouter le rhum.

3 › Faire bouillir la crème et y ajouter le chocolat au lait coupé en morceaux. Laisser reposer pendant 5 minutes puis remuer vigoureusement. Ajouter le praliné noisette et les crêpes dentelle. Bien mélanger.

4 › Étaler ce mélange sur le macaron sur une hauteur de 5 mm.

5 › Faire bouillir la moitié de la crème liquide. Ajouter le chocolat coupé en morceaux. Laisser reposer pendant 5 minutes puis mixer. Ajouter le reste de crème et les œufs. Mixer à nouveau. Laisser reposer au frais pendant 2 heures puis fouetter jusqu'à ce que le mélange éclaircisse. Verser dans le moule et placer le rectangle de macaron. Mettre au frais pendant 1 heure.

6 › Démouler et saupoudrer de cacao en poudre. Décorer avec des truffes au chocolat.

À défaut de moule à bûche, on peut utiliser un moule à cake.

cheesecake au chocolat blanc et aux fruits de la passion

120 g de palets bretons / 120 g de coulis de fruits de la passion /
10 cl de lait / 1 cuil. à moka bombée d'agar-agar / 150 g de chocolat blanc / 150 g de cream cheese / 15 cl de crème fraîche
liquide / 1 fruit de la passion pour la décoration.

● ● ● ❯ ❯ ❯   6 PERS. – PRÉP. : 15 MIN – CUISS. : 5 MIN
REPOS : 6 H 05 MIN

1 › Mixer les palets bretons et les mélanger avec le coulis de fruits de la
passion. Répartir au fond d'un cercle de 18 cm de diamètre posé sur une
assiette.

2 › Porter le lait et l'agar-agar à ébullition tout en remuant. Maintenir l'ébullition pendant 1 minute. Verser le chocolat coupé en morceaux dans le
mélange et laisser reposer pendant 5 minutes. Mélanger vigoureusement.

3 › Avec un batteur, ajouter le cream cheese, puis incorporer la crème
montée en chantilly à la spatule en soulevant la préparation.

4 › Verser dans le moule et placer au frais pendant au moins 6 heures.

5 › Avant de servir, déposer 1 cuillerée à café de pulpe de fruits de la passion au centre du gâteau.

 *On peut remplacer le coulis de fruits de la passion par d'autres coulis
de fruits : framboise, fraise, mangue...*

cake au chocolat-gingembre confit-banane

250 g de beurre / 250 g de sucre en poudre / 4 œufs / 1 sachet de levure chimique / 200 g de farine / 50 g de poudre de cacao / 1/2 banane / 75 g de gingembre confit / 10 cl de crème fraîche liquide / 100 g de chocolat noir à 70 % de cacao / Sel.

● ● ● 〉〉❱ 6 PERS. – PRÉP. : 10 MIN – CUISS. : 45 MIN
REPOS : 5 MIN

1 ﹒ Battre le beurre ramolli et le sucre. Ajouter les œufs, une pincée de sel et bien mélanger. Tamiser la levure chimique, la farine, la poudre de cacao puis l'ajouter au mélange. Écraser la banane et couper le gingembre confit en petits cubes. Ajouter cette préparation à l'appareil et verser dans un moule rectangulaire beurré. Placer dans le four à 180 °C (th. 6) pendant 45 minutes. Vérifier la cuisson à l'aide d'un couteau : il doit sortir propre. Démouler et laisser refroidir sur une grille.

2 ﹒ Faire bouillir la crème fraîche liquide et ajouter le chocolat coupé en carrés. Laisser reposer pendant 5 minutes puis mixer. Napper le gâteau placé sur une grille et laisser durcir.

cake au chocolat et à l'orange

150 g de chocolat / 200 g de beurre / 2 cuil. à soupe de cacao en poudre / 200 g de sucre glace / 40 g de poudre d'amande / 4 œufs / 200 g de farine / 1/2 sachet de levure chimique / 3 cuil. à soupe de marmelade d'orange / Sel.

●●● ❱❱❱ 6 PERS. – PRÉP. : 10 MIN – CUISS. : 45 MIN
REPOS : 10 MIN

1 › Faire fondre le chocolat coupé en morceaux et le beurre. Ajouter le cacao en poudre, le sucre, la poudre d'amande, les œufs, la farine, la levure chimique et une pincée de sel. Bien mélanger au batteur électrique. Verser dans un moule rectangulaire beurré. Placer au four à 180 °C (th. 6) pendant 45 minutes. Démouler après 10 minutes de repos puis laisser refroidir sur une grille.

2 › Retourner le gâteau et faire 3 incisions dans le sens de la longueur. Insérer la marmelade d'orange. Retourner et servir.

cake aux pépites de chocolat et à la noisette

100 g de chocolat / 150 g de noisettes / 150 g de beurre / 200 g de sucre en poudre / 5 œufs / 150 g de farine / 1/2 sachet de levure chimique / Sel.

●●● ❱❱❱ 6 PERS. – PRÉP. : 15 MIN – CUISS. : 1 H

1 › Hacher le chocolat grossièrement.

2 › Concasser les noisettes grossièrement.

3 › Mélanger le beurre, 150 g de sucre, les jaunes d'œufs et une pincée de sel. Ajouter le chocolat, les noisettes, la farine et la levure chimique.

4 › Monter les blancs d'œufs en neige ferme puis ajouter en trois fois le reste de sucre. Incorporer la moitié des blancs au mélange précédent en mélangeant vigoureusement. Incorporer le reste des blancs délicatement en soulevant la préparation.

5 › Verser dans un moule à cake beurré et placer au four à 150 °C (th. 5) pendant 1 heure. Laisser refroidir dans le four puis démouler sur une grille.

› cake au chocolat et
à l'orange

coulant au chocolat, coulis passion-gingembre

150 g de chocolat noir / 150 g de beurre / 125 g de sucre en poudre / 6 œufs / 100 g de farine / 50 g de gingembre confit / 10 cl de coulis mangue-passion / Sel.

● ● ● ❯❯❯ 6 PERS. – PRÉP. : 10 MIN – CUISS. : 10 MIN
REPOS : 2 H

1 › Faire fondre le chocolat noir et le beurre au bain-marie. Ajouter le sucre, les œufs et une pincée de sel. Bien mélanger et placer au frais pendant 2 heures.

2 › Fouetter avec un batteur électrique : le mélange éclaircit et devient ferme. Ajouter la farine tamisée et l'incorporer délicatement à la spatule. Cette pâte peut reposer au frais jusqu'au moment du service.

3 › Remplir de petits ramequins ou des cercles de 9 cm de diamètre aux trois quarts. Mettre au four à 150 °C (th. 5) pendant 8 à 9 minutes. Le cœur doit être coulant et les bords, cuits.

4 › Pendant ce temps, hacher finement le gingembre et l'ajouter au coulis mangue-passion.

5 › Servir chaud accompagné d'un cordon de coulis passion-gingembre.

Note : recette idéale quand on reçoit car tout est prêt à l'avance. Je conseille cependant de tester la cuisson auparavant et de déterminer le temps optimal.

chocolat

crêpes

200 g de farine / 4 œufs / 60 g de sucre en poudre / 60 cl de lait / 50 g de beurre fondu / 10 cl de crème liquide / 100 g de chocolat à 70 % de cacao / Huile / Sel.

● ● ● ❯❯❯ 4 PERS. – PRÉP. : 5 MIN – CUISS. : 5 MIN
REPOS : 1 H 05 MIN

1 › Placer la farine, les œufs, le sucre, 50 cl de lait, le beurre fondu et une pincée de sel dans un grand bol avec bec verseur. Mixer. Laisser reposer la pâte pendant 1 heure.

2 › Faire chauffer le reste de lait avec la crème. Ajouter le chocolat coupé en morceaux et laisser reposer pendant 5 minutes. Mixer.

3 › Faire chauffer 1 ou 2 poêles avec un peu d'huile. Verser de la pâte dans chaque poêle, laisser cuire puis retourner.

Servir les crêpes accompagnées de sauce au chocolat tiède ou froide.

gaufres au chocolat

250 g de farine / 2 œufs / 150 g de beurre / 50 cl de lait / 60 g de sucre en poudre / 1 sachet de sucre vanillé / 1/2 sachet de levure chimique / 10 cl de crème fraîche liquide / 100 g de chocolat à 70 % de cacao / Sel.

● ● ● ❯❯❯ 4 PERS. – PRÉP. : 10 MIN – CUISS. : 5 MIN
REPOS : 1 H 05 MIN

1 › Placer la farine, les œufs, le beurre fondu, 40 cl de lait, les sucres, la levure chimique, une pincée de sel dans un grand bol avec bec verseur et mixer. 2 › Laisser reposer la pâte pendant 1 heure au frais.

3 › Pendant ce temps, faire chauffer le reste de lait et la crème. Ajouter le chocolat coupé en morceaux. Laisser reposer pendant 5 minutes. Mixer jusqu'à ce que la sauce ait un aspect onctueux.

4 › Faire les gaufres et les accompagner de cette sauce au chocolat forte en goût à l'acidité caractéristique.

le gâteau tout chocolat d'Isa

8 œufs / 100 g de sucre en poudre + 1 cuil. à soupe / 60 g de farine / 25 g de cacao en poudre + 1 cuil. à soupe / 30 g de fécule de maïs / 50 g de beurre / 280 g de crème fraîche liquide / 250 g de chocolat à 70 % de cacao / Sel.

● ● ● 〉〉〉 6 PERS. – PRÉP. : 20 MIN – CUISS. : 25 MIN
REPOS : 6 H

1 › Battre 3 blancs d'œufs en neige ferme avec une pincée de sel. Ajouter 50 g de sucre en poudre en trois fois pour serrer les blancs.

2 › Battre les 3 jaunes d'œufs avec 50 g de sucre jusqu'à blanchiment. Ajouter 2 cuillerées à soupe de blancs pour assouplir le mélange puis incorporer délicatement les blancs montés avec le sucre en soulevant la préparation. Ajouter la farine, 25 g de cacao en poudre et la fécule de maïs tamisés, ainsi que le beurre fondu. Mélanger délicatement et rapidement. Verser dans un moule beurré de 20 cm de diamètre. Cuire à 180 °C (th. 6) pendant 25 minutes.

3 › Faire bouillir 200 g de crème fraîche liquide. Ajouter 150 g de chocolat à 70 % de cacao coupé en morceaux. Laisser reposer pendant 5 minutes. Mixer, puis ajouter les œufs. Bien mélanger et placer au froid pendant 2 heures.

4 › Faire bouillir 60 g d'eau avec 1 cuillerée à soupe de sucre. Ajouter 1 cuillerée à soupe de cacao. Bien mélanger.

5 › Après 2 heures de repos, fouetter la mousse jusqu'à ce que le mélange éclaircisse. Si tel n'est pas le cas, ne pas insister mais replacer au froid. Effectuer cette opération juste avant le dressage du gâteau car la mousse durcit alors très vite.

6 › Lorsque le gâteau est cuit, laisser refroidir. On peut très rapidement le couper horizontalement en disques de 4 mm d'épaisseur.

7 › Dans un cercle de 20 cm de diamètre, disposer un disque de génoise. Mouiller avec le sirop au cacao, recouvrir d'une couche de 4 mm de mousse au chocolat et recommencer l'opération jusqu'à épuisement des ingrédients. Placer au frais pendant 2 heures.

8 › Démouler le gâteau et procéder au glaçage.

9 › Porter le reste de crème à ébullition. Ajouter le reste de chocolat et laisser reposer pendant 5 minutes. Mixer et napper le gâteau placé sur une grille. Laisser refroidir encore 2 heures.

macarons à la ganache chocolat-framboise

100 g de blancs d'œufs / 30 g de sucre en poudre / 125 g de poudre d'amande / 1 cuil. à soupe de poudre de cacao / 210 g de sucre glace / 5 cl de crème fraîche liquide / 100 g de chocolat noir / 5 cl de coulis de framboises / Sel.

● ● ● ❯❯❯ 6 PERS. – PRÉP. : 10 MIN – CUISS. : 15 MIN
REPOS : 4 À 6 H

1 › Sur une feuille de papier cuisson, tracer des cercles en quinconce de 3 cm de diamètre à l'aide d'un petit verre ou d'un couvercle d'épice.

2 › Monter les blancs en neige avec une pincée de sel. Lorsqu'ils sont bien fermes, ajouter le sucre en poudre en trois fois : ils deviennent brillants et fermes.

3 › Mixer la poudre d'amande, le cacao en poudre et le sucre glace. Verser ce mélange tamisé sur les blancs. Incorporer en soulevant la préparation. Bien mélanger jusqu'à ce que la pâte s'écoule de la spatule en formant un ruban sans être liquide. Remplir une poche à douille de ce mélange et dresser sur une plaque à pâtisserie recouverte de la feuille de papier cuisson.

4 › Laisser reposer entre 4 et 6 heures dans un endroit sec : une croûte doit se former.

5 › Pendant ce temps, préparer la ganache : faire bouillir la crème fraîche liquide puis ajouter le chocolat coupé en carrés. Laisser reposer pendant 5 minutes puis mélanger vigoureusement. Ajouter le coulis de framboises et mélanger à nouveau. Placer au frais.

6 › Placer les macarons au four à 150 °C (th. 5) pendant 15 minutes. Détacher les macarons de la feuille de cuisson et les laisser refroidir.

7 › Battre la ganache avec un batteur : elle éclaircit légèrement et devient plus ferme. Garnir les macarons de ce mélange.

 Note : pour qu'ils soient moelleux, il est préférable de ne consommer les macarons que 24 heures après les avoir garnis.

millefeuille aux deux chocolats, coulis d'orange

250 g de pâte feuilletée / 150 g de sucre en poudre / 4 cuil. à soupe de sucre glace / 1 orange non traitée / 80 g de lait / 1/2 cuil. à moka d'agar-agar / 100 g de chocolat au lait / 10 cl de crème fraîche liquide / 100 g de chocolat noir.

• • • ❭ ❭ ❭ 4 PERS. – PRÉP. : 20 MIN – CUISS. : 35 MIN
REPOS : 3 H 10 MIN

1 › Étaler la pâte sur une feuille de papier cuisson en un rectangle de 30 x 20 cm. Laisser reposer pendant 2 heures au réfrigérateur. Saupoudrer la pâte avec 50 g de sucre en poudre bien régulièrement. Enfourner à 180 °C (th. 6) pendant 15 minutes. Sortir du four et retourner la pâte. Saupoudrer avec 2 cuillerées à soupe de sucre glace et mettre au four à 240 °C (th. 8) pendant 8 minutes. Sortir et laisser refroidir. Découper la pâte feuilletée cuite en 12 rectangles de 9 cm sur 4 cm.

2 › Pendant ce temps, préparer le coulis d'orange. Plonger l'orange dans de l'eau bouillante et maintenir l'ébullition pendant 2 minutes. Égoutter et répéter l'opération deux fois. Couper l'orange chaude en gros morceaux en recueillant le jus et mixer ensuite avec le reste de sucre en poudre. On obtient un coulis de bonne consistance. Réserver.

3 › Préparer la crème à millefeuille au chocolat au lait. Placer le lait et l'agar-agar dans une casserole. Porter à ébullition tout en remuant. Quand le gélifiant est dissous, ajouter les morceaux de chocolat au lait. Laisser reposer pendant 5 minutes puis mixer. Placer au frais.

4 › Pour la crème au chocolat noir, porter la crème à ébullition, puis ajouter les morceaux de chocolat noir. Laisser reposer pendant 5 minutes, puis mixer. Placer au frais pendant 1 heure puis battre avec un fouet jusqu'à ce que le mélange éclaircisse. Remplir une poche à douille avec le mélange. Répartir sur 4 rectangles de pâte feuilletée. Placer un rectangle par-dessus et disposer la crème au chocolat au lait. Recouvrir avec le dernier rectangle de pâte feuilletée et saupoudrer avec le reste de sucre glace à travers une passoire fine.

5 › Servir le millefeuille accompagné de coulis d'orange.

› millefeuille aux deux chocolats, coulis d'orange p. 47

opéra

3 œufs + 1 jaune d'œuf / 100 g de sucre en poudre / 1 cuil. à soupe de farine / 1 cuil. à soupe de fécule de maïs / 120 g de beurre / 75 g de poudre d'amande / 7,5 cl de lait / 1 cuil. à soupe de bon café soluble / 10 cl de crème fraîche liquide / 100 g de chocolat noir / 1 grande tasse de café expresso / Sel.

● ● ● ❯ ❯ ❯ 6 PERS. – PRÉP. : 20 MIN – CUISS. : 20 MIN
REPOS : 2 H

1 › Séparer les blancs des jaunes. Battre 3 jaunes avec 75 g de sucre jusqu'à blanchiment. Ajouter la farine, la fécule, 20 g de beurre fondu et la poudre d'amande.

2 › Monter 3 blancs en neige avec une pincée de sel. Quand ils sont fermes, ajouter 2 cuillerées de sucre en deux fois : ils deviennent brillants et bien fermes.

3 › Incorporer le tiers des blancs au mélange précédent. Bien mélanger puis incorporer délicatement le reste des blancs en soulevant la préparation. Étaler finement sur une plaque à pâtisserie recouverte de papier cuisson. Placer au four à 180 °C (th. 6) pendant 15 minutes. Détacher du papier cuisson et laisser refroidir.

4 › Fouetter le jaune d'œuf restant avec le reste de sucre (environ 1 cuillerée à soupe). Ajouter le lait bouillant. Mixer et placer quelques secondes au four à micro-ondes. Bien remuer et recommencer l'opération jusqu'à ce que la crème épaississe. Ajouter le café soluble et laisser tiédir. Incorporer au mixeur le reste de beurre.

5 › Faire bouillir la crème et ajouter le chocolat coupé en morceaux. Laisser reposer pendant 5 minutes. Mixer et placer au frais pendant 2 heures. Fouetter le mélange : il éclaircit et devient ferme.

6 › Couper le biscuit en quatre. Placer un quart de biscuit et l'imbiber avec le café expresso. Recouvrir avec la moitié de crème au café. Placer un deuxième quart de biscuit, l'imbiber de café et recouvrir avec la moitié de ganache. Recouvrir avec le troisième quart de biscuit, l'imbiber de café et recouvrir avec le reste de crème au café. Placer le dernier quart de biscuit, recouvrir avec le reste de ganache. Laisser prendre au frais pendant 2 heures. Couper les côtés régulièrement avec un couteau à dent pour avoir des bords bien nets.

quatre-quarts
tout chocolat

250 g de beurre à température ambiante / 250 g de sucre en poudre / 250 g d'œufs / 1 sachet de levure chimique / 200 g de farine / 50 g de cacao en poudre / 80 g de chocolat noir haché plus ou moins grossièrement selon les goûts / Sel.

● ● ● ❱❱❱ 6 PERS. – PRÉP. : 15 MIN – CUISS. : 40 MIN

1 › Mélanger le beurre, le sucre, les œufs et une pincée de sel jusqu'à obtenir un mélange homogène.

2 › Mélanger la levure chimique, la farine et le cacao en poudre. Ajouter ce mélange à la préparation précédente ainsi que le chocolat haché.

3 › Beurrer un moule à cake et y verser le mélange. Placer à 180 °C (th. 6) pendant 40 minutes. Vérifier la cuisson avant de sortir le gâteau du four à l'aide d'un couteau. Démouler et laisser refroidir sur une grille.

 On peut parfumer ce gâteau avec des raisins macérés dans du rhum, des écorces d'orange confites, des noisettes, des amandes, du praliné.

pain d'épice au chocolat

1,5 cuil. à café de levure de boulanger / 250 g de farine blanche / 30 g de sucre en poudre / 10 cl de lait / 50 g de cacao en poudre / 200 g de farine complète / 100 g de miel / 60 g de beurre / 1,5 cuil. à soupe d'épices à pain d'épice / 1 œuf / 10 cl de crème fraîche liquide / 100 g de chocolat noir / Sel.

● ● ● ❭❭❭ 6 PERS. – PRÉP. : 10 MIN – CUISS. : 40 MIN
REPOS : 4 À 6 H

1 › Mélanger la levure de boulanger, 100 g de farine blanche, le sucre et le lait tiède. Laisser reposer pendant 1 heure.

2 › Ajouter ensuite le reste de farine blanche, la poudre de cacao, la farine complète, le miel, le beurre, les épices, l'œuf et 1/2 cuillerée de sel. Verser 140 g d'eau tiède et pétrir pendant une dizaine de minutes. Laisser reposer la pâte couverte d'un linge pendant 2 à 3 heures.

3 › Rabattre la pâte en la travaillant à la main. La disposer dans un moule rectangulaire beurré. Laisser lever pendant 1 à 2 heures.

4 › Placer au four à 180 °C (th. 6) pendant 40 minutes. Démouler et laisser refroidir sur une grille.

5 › Faire bouillir la crème fraîche liquide. Ajouter le chocolat coupé en morceaux. Laisser reposer pendant 5 minutes. Mixer puis napper de ce mélange le pain d'épice placé sur une grille.

6 › Placer au frais.

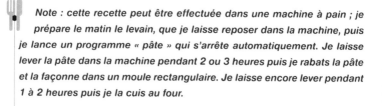

Note : cette recette peut être effectuée dans une machine à pain ; je prépare le matin le levain, que je laisse reposer dans la machine, puis je lance un programme « pâte » qui s'arrête automatiquement. Je laisse lever la pâte dans la machine pendant 2 ou 3 heures puis je rabats la pâte et la façonne dans un moule rectangulaire. Je laisse encore lever pendant 1 à 2 heures puis je la cuis au four.

gâteau au chocolat

200 g de chocolat noir / 90 g de beurre / 3 œufs / 100 g de sucre en poudre / 100 g d'amandes en poudre / 3 cuil. à soupe rases de farine / 1 cuil. à café de levure chimique / 10 cl de crème fraîche liquide / 100 g de chocolat à 70 % de cacao / Sel.

● ● ● ❭ ❭ ❭ **4 PERS. – PRÉP. : 15 MIN – CUISS. : 30 MIN
REPOS : 5 MIN**

1 › Faire fondre le chocolat et le beurre au bain-marie.

2 › Pendant ce temps, battre les jaunes d'œufs avec la moitié de sucre jusqu'à blanchiment. Ajouter au mélange chocolat-beurre. Incorporer ensuite les amandes en poudre, la farine, la levure chimique et une pincée de sel.

3 › Battre les blancs d'œufs en neige avec une pincée de sel. Ajouter le reste de sucre en trois fois pour serrer les blancs. Incorporer délicatement les blancs d'œufs à la préparation au chocolat. Verser dans un moule préalablement tapissé de papier cuisson et placer à 180 ° C (th. 6) pendant 25 à 30 minutes. Laisser refroidir puis démouler et retirer le papier cuisson.

4 › Faire bouillir la crème liquide. Ajouter le chocolat à 70 % de cacao coupé en morceaux. Laisser reposer pendant 5 minutes. Mélanger vigoureusement. Quand la préparation est bien lisse, napper le gâteau placé sur une grille.

On peut également utiliser cette pâte dans des moules souples et réaliser ainsi de petits gâteaux individuels.

tarte chocolat blanc-cassis-violette

Pâte : 125 g de beurre à température ambiante / 100 g de sucre glace / 1 œuf / 2 cuil. à soupe de poudre d'amande / 200 g de farine / Une pincée de sel.

100 g de baies de cassis congelées / 1 cuil. à soupe de sucre en poudre / 1/2 cuil. à moka d'agar-agar / 100 g de crème fraîche liquide / 200 g de chocolat blanc / 2 gouttes d'essence de violette.

● ● ● ❭ ❭ ❭ 6 PERS. – PRÉP. : 15 MIN – CUISS. : 15 MIN
REPOS : 3 H 05 MIN

1 › Pâte : avec un batteur électrique, mélanger le beurre et le sucre. Ajouter l'œuf, la poudre d'amande, une pincée de sel. Bien mélanger. Incorporer enfin la farine à la main. Former une boule et placer au frais pendant 1 heure.

2 › Foncer un moule à tarte avec la pâte. Mélanger les baies de cassis congelées, le sucre et l'agar-agar. Verser sur la tarte. Placer à 180 °C (th. 6) pendant 15 minutes. Démouler et laisser refroidir.

3 › Faire bouillir la crème fraîche liquide et ajouter le chocolat coupé en morceaux. Laisser reposer pendant 5 minutes, puis mixer. Placer au frais pendant 1 heure. Ajouter l'essence de violette et fouetter jusqu'à ce que la ganache double de volume. Verser sur le cassis et placer au frais pendant 1 heure.

tarte au chocolat guanaja

Pâte : 125 g de beurre à température ambiante / 100 g de sucre glace / 1 œuf / 2 cuil. à soupe de poudre d'amande / 200 g de farine / Une pincée de sel.
Crème : 2 jaunes d'œufs / 2 cuil. à soupe de sucre en poudre / 20 cl de lait entier / 150 g de chocolat guanaja à 70 % de cacao / Sel.

● ● ● ❱ ❱ ❱ 6 PERS. – PRÉP. : 15 MIN – CUISS. : 25 MIN
REPOS : 4 H 05 MIN

1 › Préparer la pâte : avec un batteur électrique, mélanger le beurre et le sucre. Ajouter l'œuf, la poudre d'amande, une pincée de sel. Bien mélanger. Incorporer enfin la farine à la main. Former une boule et placer au frais pendant 1 heure.

2 › Préparer la crème : fouetter les jaunes d'œufs avec le sucre en poudre jusqu'à blanchiment. Ajouter le lait bouillant puis verser dans une casserole et chauffer sans cesser de remuer. Lorsque la crème nappe la cuillère, ajouter le chocolat coupé en morceaux. Laisser reposer pendant 5 minutes, puis mixer. Laisser refroidir pendant 1 heure.

3 › Foncer un moule à tarte avec la pâte. Recouvrir de papier de cuisson et y déposer un autre moule plus petit. Placer à 180 °C (th. 6) pendant 10 minutes. Retirer le moule et cuire encore pendant 5 minutes. Démouler et laisser refroidir.

4 › Remplir avec le mélange au chocolat et laisser figer pendant 2 heures.

barre chocolat blanc-coco-gingembre

10 cl de lait de coco / 250 g de chocolat de couverture blanc / 80 g de noix de coco râpée / 20 g de gingembre confit.

● ● ● ❱ ❱ ❱ 4 PERS. – PRÉP. : 5 MIN – CUISS. : 5 MIN
REPOS : 35 MIN

1 ❭ Faire bouillir le lait de coco et ajouter 50 g de chocolat blanc. Laisser reposer 5 minutes puis mélanger avec la noix de coco râpée, le gingembre confit coupé en petits cubes. Former des barres que l'on place au congélateur pendant 30 minutes.

2 ❭ Tempérer le reste de chocolat blanc (p. 72), puis tremper les barres refroidies pour les enrober. Laisser refroidir.

barre framboises-chocolat noir-flocons d'avoine

50 g de flocons d'avoine / 50 g de crêpes dentelle / 150 g de coulis de framboises non sucré / 25 g de chocolat noir / 200 g de chocolat de couverture noir.

● ● ● ❱ ❱ ❱ 4 PERS. – PRÉP. : 5 MIN – CUISS. : 5 MIN
REPOS : 30 MIN

1 ❭ Mélanger les flocons d'avoine, les crêpes dentelle émiettées et le coulis de framboises.

2 ❭ Couper le chocolat noir au couteau en éclats. Ajouter au mélange précédent.

3 ❭ Façonner des barres et les placer au congélateur pendant 30 minutes.

4 ❭ Pendant ce temps, tempérer le chocolat de couverture (p. 72). Tremper les barres dans le chocolat puis déposer sur une feuille de papier sulfurisé. Laisser refroidir.

barre chocolat-cacahuète-caramel

100 g de sucre en poudre / 10 cl de crème fraîche liquide / 100 g de cacahuètes non salées / 30 g de crêpes dentelle / 200 g de chocolat de couverture au lait.

● ● ● 〉〉〉 4 PERS. – PRÉP. : 5 MIN – CUISS. : 5 MIN
REPOS : 30 MIN

1 › Placer le sucre en poudre dans une casserole à fond épais sur feu doux. Lorsque le caramel a une belle couleur ambrée, ajouter la crème bouillante tout en remuant (attention aux projections !).

2 › Faire griller les cacahuètes et les concasser grossièrement au couteau. Les ajouter aux crêpes dentelle émiettées et au caramel. Former des barres rectangulaires. Placer au congélateur pendant 30 minutes.

3 › Tempérer le chocolat de couverture (p. 72) puis enrober les barres chocolatées.

barre chocolat-spéculoos-mandarine

50 g d'éclats de nougatine (p. 78) / 50 g de spéculoos / 50 g de flocons d'avoine / 2 mandarines / 2 gouttes d'huile essentielle de mandarine / 200 g de chocolat de couverture blanc / 1 pointe de colorant orange.

● ● ● 〉〉〉 4 PERS. – PRÉP. : 5 MIN – CUISS. : 5 MIN
REPOS : 30 MIN

1 › Mélanger les éclats de nougatine, les spéculoos émiettés, les flocons d'avoine, le jus de mandarine (vous devez obtenir 15 cl) et les gouttes d'huile essentielle. Façonner des barres rectangulaires et placer au congélateur pendant 30 minutes.

2 › Pendant ce temps, tempérer le chocolat (p. 72) et ajouter le colorant orange. Enrober les barres puis les déposer sur un papier sulfurisé. Laisser refroidir.

› barre chocolat-spéculoos-
mandarine p. 63

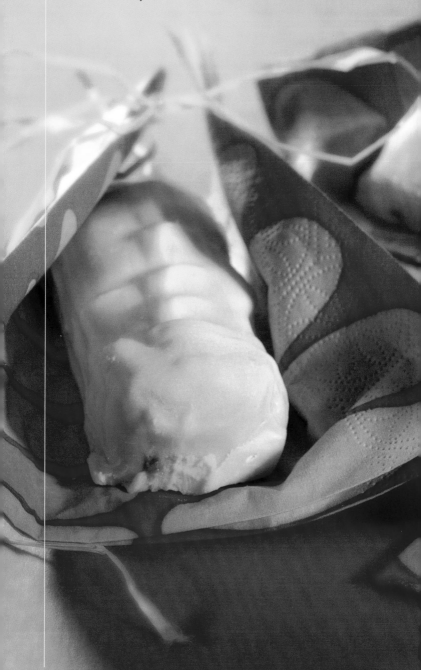

cannellonis de mangue rôtie à la noix de coco et chocolat blanc

**2 mangues / 25 g de beurre + 1 noix / 2 cuil. à coupe de casso-
nade / 4 feuilles de filo / 50 g de noix de coco râpée / 200 g de
chocolat de couverture blanc.**

● ● ● ❱ ❱ ❱ 4 PERS. – PRÉP. : 5 MIN – CUISS. : 10 MIN

1 › Peler la mangue et retirer le noyau. Couper le fruit en bâtonnets de 8 à
10 cm sur 1,5 cm. Faire chauffer une poêle à feu vif avec une noix de
beurre. Faire revenir la mangue avec la cassonade. Réserver.

2 › Couper chaque feuille de filo en deux. On obtient 8 rectangles.
Parsemer de noix de coco râpée et placer un bâtonnet de mangue rôtie
à 2 cm d'un bord court. Rouler le cannelloni en repliant les bords.
Badigeonner les cannellonis avec le reste de beurre fondu. Disposer
dans un plat et mettre au four à 180 °C (th. 6) pendant 10 minutes.

3 › Pendant ce temps, tempérer le chocolat de couverture blanc. Lorsque
les cannellonis ont refroidi, les enrober de chocolat. Servir.

cookies tout chocolat

150 g de chocolat noir / 100 g de beurre / 200 g de vergeoise /
2 œufs / 150 g de farine / 1/2 sachet de levure chimique / 25 g
de poudre de cacao / Une pincée de sel.

● ● ● 〉 〉 〉 20 COOKIES – PRÉP. : 5 MIN – CUISS. : 10 MIN

1 › Hacher le chocolat en morceaux.

2 › Faire ramollir le beurre et fouetter avec la vergeoise. Ajouter les œufs,
la farine, la levure chimique, la poudre de cacao et la pincée de sel. Bien
mélanger. Incorporer le chocolat en morceaux. Déposer des cuillerées
de pâte sur une plaque à pâtisserie recouverte de papier cuisson. Inutile
de les aplatir, sous l'effet de la chaleur, elles s'étaleront d'elles-mêmes.

3 › Mettre au four à 180 °C (th. 6) pendant 10 minutes. Laisser refroidir.

croque-monsieur
au pain d'épice
au chocolat, à l'orange
et au gingembre confit

50 g de beurre / 8 tranches de pain d'épice / 25 g de gingembre
confit / 2 cuil. à soupe de marmelade d'orange / Le jus de
1/2 citron / 50 g de chocolat au lait.

● ● ● 〉 〉 〉 4 PERS. – PRÉP. : 5 MIN – CUISS. : 5 MIN

1 › Beurrer les tranches de pain d'épice.

2 › Couper le gingembre confit en petits dés.

3 › Mélanger la marmelade d'orange et le jus de citron. Ajouter les dés de
gingembre confit.

4 › Dans une machine à croque-monsieur, placer les tranches de pain
d'épice côté beurré à l'extérieur, la marmelade, du chocolat. Terminer par
une tranche de pain d'épice. Cuire puis servir tiède.

cookies tout chocolat

› mouillettes de croque-monsieur
chocolat-poire

mouillettes de croque-monsieur chocolat-poire

50 g de beurre / 8 tranches de brioche / 2 poires / 10 cl de crème fraîche liquide / 100 g de chocolat guanaja / 2 cuil. à soupe de caramel (p. 74).

● ● ● ❯ ❯ ❯ 4 PERS. – PRÉP. : 5 MIN – CUISS. : 5 MIN
REPOS : 5 MIN

1 › Beurrer les tranches de brioche.

2 › Couper les poires en quatre, retirer le cœur et éplucher les quartiers.

3 › Couper en lamelles.

4 › Préparer la sauce. Faire bouillir la crème et ajouter le chocolat coupé en morceaux. Laisser reposer pendant 5 minutes puis mélanger vigoureusement.

5 › Dans une machine à croque-monsieur, placer les tranches de brioche côté beurré à l'extérieur, les tranches de poires, 1 cuillerée à café de caramel.

6 › Terminer avec une tranche de brioche. Cuire puis couper les croque-monsieur en mouillettes que l'on trempe dans la sauce au chocolat.

nems chocolat-framboise

50 g de spéculoos / 200 g de framboises / 4 feuilles de filo / 25 g de beurre / 100 g de chocolat de couverture noir.

● ● ● ❯ ❯ ❯ 4 PERS. – PRÉP. : 5 MIN – CUISS. : 10 MIN

1 › Émietter les spéculoos et mélanger avec les framboises sans trop les abîmer.

2 › Couper chaque feuille de filo en deux. On obtient 8 rectangles. Placer le mélange framboise-spéculoos à 2 cm d'un bord court et rouler le nem en repliant les bords. Badigeonner les nems de beurre fondu. Disposer dans un plat et mettre au four à 180 °C (th. 6) pendant 10 minutes.

3 › Pendant ce temps, tempérer le chocolat (p. 72). Lorsque les nems sont froids, les enrober dans le chocolat. Servir.

TEMPÉRAGE DU CHOCOLAT

Pour réaliser des friandises en chocolat, on utilise du chocolat de couverture. Ce chocolat a une fluidité particulière (due à sa teneur en beurre de cacao) qui permet l'enrobage de confiseries.

› Le tempérage, pourquoi ?

Le tempérage du chocolat est une opération indispensable lorsque l'on confectionne de la confiserie. Il permet un démoulage facile, un aspect brillant des chocolats et une meilleure conservation.

› Comment ?

Pour tempérer un chocolat, on va lui faire suivre une courbe de température précise pour que la cristallisation du beurre de cacao se fasse correctement. Cette courbe de température varie selon le type de chocolat utilisé (noir, au lait ou blanc) ; généralement, il figure sur l'emballage. Pour du chocolat noir, par exemple, on le fait fondre à 50-55 °C puis on le refroidit à 28 °C et on le ramène à 30-31 °C pour le dressage. Il existe différentes techniques pour le refroidissement du chocolat :

- soit on le plonge dans un bain d'eau glacée et on l'amène à 28 °C tout en remuant, puis on remonte la température en le plaçant rapidement dans le bain-marie chaud ;
- soit on travaille les trois quarts de la préparation sur un marbre avec une spatule jusqu'à atteindre 28 °C et on rajoute au quart restant pour remonter la température à 30 °C.

 Note : pour se familiariser au travail du chocolat, je conseille de commencer par les tablettes de chocolat non fourrées (par exemple chocolat blanc au citron).

caramel

200 g de sucre en poudre / 75 g de crème fraîche liquide / 100 g de beurre.

● ● ● 〉〉〉 375 G – PRÉP. : 5 MIN – CUISS. : 5 MIN

1 › Placer le sucre en poudre dans une casserole à fond épais et cuire à feu doux jusqu'à obtention d'un caramel d'une belle couleur ambrée. Ajouter la crème fraîche liquide bouillante (attention aux projections !) tout en remuant. Laisser tiédir puis ajouter le beurre. Bien mélanger puis mettre en pots. Conserver au frais.

pâte à tartiner praliné-chocolat

15 cl de crème fraîche liquide / 200 g de chocolat au lait / 2 cuil. à soupe de pâte de praliné (p. 78).

● ● ● 〉〉〉 400 G – PRÉP. : 5 MIN – CUISS. : 5 MIN
REPOS : 5 MIN

1 › Faire bouillir la crème. Ajouter le chocolat coupé en morceaux. Laisser reposer pendant 5 minutes puis bien mélanger jusqu'à ce que le chocolat soit totalement fondu. Ajouter le praliné. Laisser reposer encore 5 minutes puis mélanger. Mettre en pots et conserver au réfrigérateur.

pâte à tartiner chocolat blanc-noix de coco-fruits exotiques

10 cl de lait de coco / 200 g de chocolat blanc / 10 cl de coulis de fruits exotiques.

● ● ● ❭❭❭ 400 G – PRÉP. : 5 MIN – CUISS. : 5 MIN
REPOS : 5 MIN

1 › Faire bouillir le lait de coco. Ajouter le chocolat coupé en morceaux. Laisser reposer pendant 5 minutes puis mélanger. Ajouter le coulis de fruits exotiques. Mélanger et mettre en pots. Conserver au réfrigérateur et consommer rapidement.

pâte à tartiner chocolat au lait-noisette

100 g de sucre en poudre / 15 cl de crème fraîche liquide / 150 g de noisettes / 200 g de chocolat de couverture au lait.

● ● ● ❭❭❭ 600 G – PRÉP. : 5 MIN – CUISS. : 15 MIN
REPOS : 5 MIN

1 › Placer le sucre dans une casserole à fond épais et à feu doux. Ne pas remuer mais secouer la casserole de temps en temps pour répartir le caramel déjà formé. Quand tout le sucre est fondu, ajouter 10 cl de crème bouillante (attention aux projections !) tout en remuant.

2 › Placer les noisettes au four à 180 °C (th. 6) pendant 10 minutes. Frotter dans un torchon pour éliminer les peaux. Mixer finement.

3 › Porter le reste de crème à ébullition. Ajouter le chocolat coupé en morceaux. Laisser reposer pendant 5 minutes puis mélanger. Ajouter le caramel refroidi ainsi que les noisettes mixées. Mettre en pots et placer au frais.

pâte à tartiner chocolat au lait-noisette p. 75

pâte à tartiner chocolat
blanc-noix de coco-
fruits exotiques p. 75

praliné noisette-nougatine

200 g de noisettes / 200 g de sucre en poudre.

● ● ● ❯ ❯ 400 G – PRÉP. : 10 MIN – CUISS. : 15 MIN

1 › Faire griller les noisettes au four à 180 °C (th. 6) pendant 10 minutes.

2 › Frotter les noisettes dans un torchon pour éliminer la peau.

3 › Verser le sucre dans une casserole à fond épais et placer sur feu doux.

4 › Ne pas remuer la casserole mais la secouer de temps en temps pour que le sucre caramélise uniformément. Quand il a une belle couleur ambrée, ajouter les noisettes. Verser sur du papier cuisson en l'étalant et laisser refroidir.

1. Nougatine : concasser finement le mélange précédent.

2. Praliné : concasser grossièrement puis mixer. Dans un premier temps, il se forme un sable qui va fondre sous l'action de la chaleur et former une pâte. Il faut donc être patient ! Remplir un bocal et conserver au frais.

Note : on peut également réaliser du praliné amande ou avec un mélange noisette-amande.

tablette chocolat blanc-citron-praliné

30 g de crêpes dentelle émiettées / 1 cuil. à soupe de praliné (p. 78) / 250 g de chocolat de couverture blanc / 2 gouttes d'huile essentielle de citron.

● ● ● ❭❭❭ 3 TABLETTES DE 100 G – PRÉP. : 10 MIN
CUISS. : 5 MIN

1 › Mélanger intimement les crêpes dentelle et le praliné.

2 › Tempérer le chocolat de couverture (p. 72). Ajouter l'huile essentielle de citron. Avec une louche, remplir le moule puis le taper contre la table pour que le chocolat se répartisse uniformément.

3 › Parsemer le chocolat du mélange crêpe dentelle-praliné. Placer au frais.

4 › Démouler en tapant fortement le moule sur le bord d'une table. Si le chocolat ne se démoule pas, c'est que l'opération de tempérage a été mal réalisée. Conserver les tablettes dans un endroit frais.

tablette chocolat blanc-coco-ananas-gingembre

30 g de gingembre confit / 30 g d'ananas séché / 20 g de biscuits à la noix de coco / 250 g de chocolat de couverture blanc.

● ● ● ❭❭❭ 3 TABLETTES DE 100 G – PRÉP. : 10 MIN
CUISS. : 5 MIN

1 › Couper finement le gingembre confit et les dés d'ananas séchés s'ils sont trop gros.

2 › Émietter les biscuits à la noix de coco et les mélanger au gingembre confit et à l'ananas séché.

3 › Tempérer le chocolat de couverture (p. 72). Avec une louche, remplir le moule aux trois quarts puis le taper contre la table pour que le chocolat se répartisse uniformément.

4 › Parsemer du mélange précédent. Placer au frais.

5 › Laisser refroidir, puis démouler en tapant fortement le moule sur une table. Conserver les tablettes dans un endroit frais.

tablette chocolat noir au praliné feuilleté

200 g de chocolat de couverture noir guanaja / 5 cl de crème fraîche liquide / 50 g de chocolat au lait / 15 g de crêpes dentelle émiettées / 2 cuil. à soupe de praliné (p. 78).

● ● ● ❯❯❯ 3 TABLETTES DE 100 G – PRÉP. : 15 MIN

CUISS. : 5 MIN

1 › Tempérer le chocolat de couverture noir (p. 72). Avec une louche, remplir les moules puis les vider dans le récipient contenant le chocolat en les retournant. Placer les moules au frais et garder le chocolat à une température de 30 °C dans un bain-marie et en le couvrant d'un torchon.

2 › Faire bouillir la crème fraîche liquide, ajouter le chocolat au lait coupé en morceaux. Ajouter les crêpes dentelle émiettées et le praliné ramolli quelques secondes au four à micro-ondes. Bien mélanger et étaler dans les moules. Recouvrir avec le reste de chocolat de couverture maintenu à 30 °C.

3 › Laisser refroidir, puis démouler en tapant fortement le moule sur une table. Conserver les tablettes dans un endroit frais.

tablette chocolat au lait-turron-orange

15 g de crêpes dentelle / 30 g de turron / 1/2 orange non traitée / 250 g de chocolat de couverture blanc.

● ● ● ❯❯❯ 3 TABLETTES DE 100 G – PRÉP. : 10 MIN

CUISS. : 5 MIN

1 › Émietter les crêpes dentelle puis les mélanger avec le turron et le zeste d'orange.

2 › Tempérer le chocolat de couverture (p. 72). Avec une louche, remplir le moule aux trois quarts puis le taper contre la table pour que le chocolat se répartisse uniformément. Parsemer du mélange précédent. Placer au frais.

3 › Laisser refroidir, puis démouler en tapant fortement le moule sur une table. Conserver les tablettes dans un endroit frais.

› **tablette chocolat au lait-turron-orange p. 81**

› tablette chocolat noir
au praliné feuilleté p. 81

tablette marrons-liqueur de whisky-café

20 g de crêpes dentelle / 50 g de pâte de marrons / 1 cuil. à café de bon café soluble / 1 cuil. à soupe de crème de whisky / 250 g de couverture au lait.

● ● ● ❯ ❯❯ 3 TABLETTES DE 100 G – PRÉP. : 10 MIN

CUISS. : 5 MIN

1 › Émietter les crêpes dentelle. Ajouter la pâte de marrons, le café soluble et la crème de whisky. On doit obtenir une espèce de crumble.

2 › Tempérer le chocolat de couverture (p. 72). Avec une louche, remplir le moule aux trois quarts puis le taper contre la table pour que le chocolat se répartisse uniformément.

3 › Parsemer avec le mélange précédent. Placer au frais.

4 › Laisser refroidir, puis démouler en tapant fortement le moule sur une table. Conserver les tablettes dans un endroit frais.

tablette mandarine-nougatine-spéculoos

30 g de spéculoos / 50 g de nougatine noisette-amande (p. 78) / 250 g de chocolat de couverture blanc / 1 pointe de colorant orange en poudre / 2 gouttes d'huile essentielle de mandarine.

● ● ● ❱❱❱ 3 TABLETTES DE 100 G – PRÉP. : 10 MIN
CUISS. : 5 MIN

1 › Émietter les spéculoos et mélanger avec les éclats de nougatine.

2 › Tempérer le chocolat de couverture (p. 72). Ajouter le colorant et l'huile essentielle. Avec une louche, remplir le moule aux trois quarts puis le taper contre la table pour que le chocolat se répartisse uniformément.

3 › Parsemer d'éclats de nougatine et de spéculoos. Placer au frais.

4 › Laisser refroidir, puis démouler en tapant fortement le moule sur une table. Conserver les tablettes dans un endroit frais.

tablette noisettes-rhum-raisins

50 g de raisins secs / 5 cl de rhum ambré / 50 g de noisettes / 250 g de chocolat de couverture au lait.

● ● ● ❱❱❱ 3 TABLETTES DE 100 G – PRÉP. : 10 MIN
CUISS. : 5 MIN – REPOS : 12 H

1 › Faire macérer les raisins dans le rhum pendant 12 heures.

2 › Faire griller les noisettes puis les frotter avec un chiffon pour éliminer la peau. Concasser grossièrement.

3 › Tempérer le chocolat de couverture (p. 72). Avec une louche, remplir le moule aux trois quarts puis le taper contre la table pour que le chocolat se répartisse uniformément.

4 › Parsemer de raisins égouttés et d'éclats de noisette. Placer au frais.

5 › Laisser refroidir, puis démouler en tapant fortement le moule sur une table. Conserver les tablettes dans un endroit frais.

glace très chocolatée

20 cl de crème fraîche liquide / 150 g de chocolat noir / 3 jaunes d'œufs / 100 g de sucre en poudre / 30 cl de lait / 3 cuil. à soupe de cacao en poudre.

● ● ● ❯ ❯ ❯ 4 PERS. – PRÉP. : 10 MIN – CUISS. : 5 MIN
REPOS : 5 MIN

1 › Placer la crème dans un récipient et faire chauffer au four à micro-ondes. Lorsque la crème est bouillante, ajouter le chocolat coupé en morceaux et laisser reposer pendant 5 minutes. Mixer puis réserver.

2 › Battre les jaunes d'œufs avec le sucre jusqu'à blanchiment. Ajouter le lait bouillant tout en continuant à fouetter. Verser dans une casserole et cuire à feu doux tout en remuant jusqu'à ce que la crème nappe la cuillère. Ajouter alors le cacao en poudre et le mélange crème-chocolat. Mixer et placer en sorbetière.

bâtonnets glacés à la menthe et au chocolat

4 jaunes d'œufs / 50 g de sucre en poudre / 25 cl de crème fraîche liquide / 25 cl de lait / 5 cl de Get 31 / 100 g de chocolat noir à 70 % de cacao.

● ● ● ❯ ❯ ❯ 6 PERS. – PRÉP. : 10 MIN – CUISS. : 5 MIN
REPOS : 4 H 05 MIN

1 › Battre les jaunes d'œufs avec le sucre jusqu'à blanchiment. Ajouter 20 cl de crème et 20 cl de lait bouillants. Verser dans une casserole et chauffer tout en remuant. Lorsque la crème nappe la cuillère, retirer du feu et laisser tiédir. Ajouter le Get 31 et verser dans des moules à glace. À défaut, utiliser de petits ramequins. Placer au congélateur. Au bout de 2 heures, lorsque la glace est presque prise, insérer des bâtonnets en bois. Remettre la glace au congélateur pour 2 heures.

2 › Au moment de servir, faire bouillir le lait et la crème restants. Ajouter le chocolat coupé en morceaux. Laisser reposer pendant 5 minutes. Mixer jusqu'à obtention d'une sauce onctueuse.

3 › Démouler les glaces et les tremper dans la sauce au chocolat chaud et servir de suite.

parfait glacé chocolat-cardamome

1 cuil. à café de capsules de cardamome / 40 cl de crème fraîche liquide / 200 g de chocolat noir / 4 jaunes d'œufs / 100 g de sucre en poudre.

● ● ● ❭ ❭ ❭ 6 PERS. – PRÉP. : 10 MIN – CUISS. : 5 MIN
REPOS : 4 H 25 MIN

1 › Écraser les capsules de cardamome à l'aide d'un pilon pour libérer les graines et bien en extraire les saveurs. Prélever 10 cl de crème que l'on porte à ébullition. Ajouter la cardamome écrasée et laisser infuser pendant 5 minutes. Filtrer puis chauffer à nouveau la crème. Ajouter le chocolat coupé en morceaux et laisser reposer 5 minutes. Mixer.

2 › Fouetter le reste de crème en chantilly.

3 › Fouetter les jaunes d'œufs avec le sucre jusqu'à blanchiment. Incorporer le mélange au chocolat. Ajouter ensuite la crème fouettée délicatement en soulevant la préparation à l'aide d'une spatule. Verser dans un moule et placer au congélateur pendant au moins 4 heures. Sortir le parfait 15 minutes avant de le déguster. Démouler.

Servir accompagné d'une crème anglaise.

sorbet chocolat blanc cream cheese et framboises chaudes

150 g de sucre en poudre / 200 g de chocolat blanc / 300 g de cream cheese / 250 g de fromage blanc / 200 g de framboises congelées.

● ● ● ❯❯❯ 6 PERS. – PRÉP. : 10 MIN – CUISS. : 5 MIN
REPOS : 5 MIN

1 › Placer 100 g de sucre en poudre avec 10 cl d'eau dans une casserole et faire bouillir. Ajouter le chocolat coupé en morceaux. Laisser reposer 5 minutes puis mixer. Ajouter le cream cheese et le fromage blanc et mixer à nouveau. Placer en sorbetière.

2 › Faire chauffer les framboises et le reste de sucre.

3 › Détailler des quenelles de sorbet et arroser de framboises chaudes.

sorbet au chocolat noir dans une tasse de café chaud

250 g de sucre en poudre / 125 g de cacao en poudre / 200 g de chocolat noir / 20 cl de crème fraîche liquide / 6 tasses de café expresso / Un peu de poudre de cacao pour la décoration.

● ● ● ❯❯❯ 6 PERS. – PRÉP. : 10 MIN – CUISS. : 5 MIN
REPOS : 4 H 05 MIN

1 › Porter 50 cl d'eau et 200 g de sucre à ébullition. Lorsque le sucre est dissous, retirer du feu et ajouter le cacao en poudre et le chocolat coupé en morceaux. Laisser reposer pendant 5 minutes. Mixer, puis mettre en sorbetière. Compter 4 heures de prise.

2 › Au moment de servir, dissoudre le reste de sucre dans 5 cl de crème chaude. Verser dans un siphon et ajouter le reste de crème. Fermer le siphon et insérer 1 cartouche de gaz. Bien secouer. Si l'on ne possède pas de siphon, monter la crème et le sucre en chantilly.

3 › Placer une boule de sorbet au chocolat dans des tasses à café. Arroser de café chaud. Recouvrir de crème Chantilly et servir de suite. Parsemer de poudre de cacao.

Note : dessert rapide et vite prêt pour des amateurs de chocolat !

› sorbet chocolat blanc cream cheese
et framboises chaudes

table
des matières

Imprimé en France
© Dormonval, 2009
Dépôt légal 2e trim. 2009 n° 3 580
Imprimé en U.E.